¿A dónde vas, osito polar?

Hans de Beer

Editorial Lumen

Título original: *Kleiner Eisbär wohin fährst du?* Traducción: Humpty Dumpty. Publicado por Editorial Lumen, S.A., Ramón Miquel i Planas, 10 - 08034 Barcelona. Reservados los derechos de edición para todos los países de lengua castellana. Primera edición: 1988. ©1988, Nord-Süd Verlag, Mönchaltorf y Hamburgo. Impreso por Grafos, S.A., P.ª Carlos I, 157. 08013 Barcelona. Depósito Legal: B.-5802-1988. ISBN 84-264-3611-0. Printed in Spain.

Aquel día era un día muy especial para Lars, el pequeño oso polar. Por
primera vez podía seguir a su padre por los grandes hielos, hasta el mar. Lars
vivía con sus padres en el polo norte, en medio de la nieve y el hielo. Aquella
mañana, el mundo que lo rodeaba era tan blanco como su piel. Estaba nevando.

Hacia el mediodía llegaron al mar. Se extendía ante ellos, azul e interminable.

«¡Quédate aquí y mira cómo nado!», dijo papá oso polar y se metió en el agua friísima. Nadó varias veces de un lado a otro. Luego, de repente, se sumergió. Lars estuvo un rato sin verlo y empezó a sentir miedo. Pero el padre volvió a la superficie, ¡con un pez grande y muy hermoso! «Ven, esto es nuestra cena», dijo y, de un mordisco, dividió el pez en dos partes.

Al terminar la cena, había llegado el momento de dormir.

«Lars, ahora tienes que hacer una montañita de nieve, para protegerte del viento frío», dijo papá oso polar. Y los dos empezaron a juntar nieve, hasta que cada uno tuvo un buen montón.

Lars estaba orgulloso de su montañita para dormir y se acostó muy contento sobre la nieve. Los dos se durmieron enseguida.

Cuando Lars despertó, ya era de día. Se asustó muchísimo: ¡a su alrededor sólo había agua! ¡Estaba completamente solo en medio del mar! Solo en una islita de hielo, con su montañita de nieve.

¿Dónde estaba su padre? Lars se sintió infinitamente abandonado.

Sintió un calor extraño y se dio cuenta enseguida de que el pedazo de hielo se hacía cada vez más pequeño. Entonces descubrió un gran barril, que la corriente impulsaba hacia él. ¡Qué suerte que su padre le hubiera enseñado cómo se nadaba! Se echó con decisión al agua y nadó hasta el barril. Se encaramó a él y se agarró fuerte, porque había empezado a soplar el viento. Lars se mecía con las olas.

Cuando el viento amainó, Lars estuvo mucho tiempo navegando por el mar. Cada vez había más luz y hacía más calor. De repente vio tierra delante de él. ¡Una tierra verde! Lars estaba atónito. ¡Aquello no era su hogar blanco, la tierra donde él vivía! ¿A dónde había llegado? Con mucho cuidado, Lars se bajó del barril y chapoteó por las aguas poco profundas hasta la orilla.

A Lars le dolieron las patas cuando anduvo sobre la arena caliente. Echó de menos el hielo y la nieve. Volvió atrás, porque quería refrescarse las patas en el agua. Entonces surgió ante él, del agua, una bestia enorme. «¡Buuuuuuh!», hizo la bestia. Y Lars huyó corriendo.

«¡Alto, para! ¡Sólo estaba bromeando!», gritó aquel animal. «Soy Hippo, el hipopótamo. ¿Tú quién eres? ¿Por qué eres tan blanco?»

Lars no pudo responder a la última pregunta. «Allí donde yo vivo todo es blanco», dijo.

Ahora ya no tenía miedo a Hippo y le contó su largo viaje. «Me gustaría poder volver a casa», dijo al final.

Hippo no reflexionó mucho rato. «El único que puede ayudarte es Drago, el águila. Ha recorrido mucho mundo y seguro que sabe de dónde vienes y cómo puedes volver allí», aseguró. «Ven, tenemos que atravesar el río y después escalar la montaña.»

«Pero yo, sabes, yo todavía no nado muy bien», confesó Lars.

«¡No te preocupes por esto!», rió Hippo. «¡Súbete a mi espalda! ¡Te aseguro que yo no me hundo!»

En la otra orilla, Lars quedó admirado ante los árboles y las plantas, la hierba y las flores. ¡Qué mundo tan extraño! ¡Con tantísimos colores! Se encontró con un animal verde, muy divertido, que de pronto se volvió blanco. ¡Tan blanco como Lars!

«Es un camaleón», explicó Hippo. «Puede cambiar de color.»

A Lars aquello le pareció muy práctico.

Después llegaron a las montañas. Aquí ya no hacía tanto calor, y Lars se sintió mucho mejor.

Pero para el hipopótamo trepar por aquellas rocas no era nada fácil. Lars lo ayudaba y le indicaba los puntos donde podía apoyar los pies.

«¡Ya basta por hoy!», jadeó Hippo, agotado. «Descansemos aquí. Es un sitio muy bonito.»

Desde allí veían mucho trozo de paisaje, la tierra y el mar. Lars sintió nostalgia de su casa.

Al día siguiente, subieron más arriba. Hippo tenía que pararse a cada paso, para recuperar el aliento. Miraba en todas direcciones, para ver si descubría al águila. «¡Ahí viene!», dijo por fin. Y Lars se encogió ante aquel pájaro enorme y desconocido.

«¡Buenos días, Drago!», saludó Hippo afectuosamente al águila, cuando ésta descendió. Y le explicó brevemente por qué había subido con Lars hasta allí.

Drago miró fijamente a Lars. «¡Vaya, vaya, un oso polar en Africa! Estás muy lejos de tu casa, pequeño. Pero conozco a una ballena que viaja constantemente entre Africa y el polo norte. Ella te llevará. Espéranos mañana, a mí y a Orca, en la ensenada.»

«¡Muchas, muchas gracias!», dijo Lars. Y volvieron a bajar de la montaña. Lars corría delante con ligereza, porque la alegría de volver a su casa le ponía alas en los pies. Hippo lo seguía con dificultad. Sentía un peso en el corazón.

Al día siguiente, muy de mañana, se encontraron con Drago y Orca en la ensenada. Hippo se alegró de que Lars pudiera volver a casa, pero le entristecía tener que separarse de su amigo. «¡Suerte, que tengas mucha…!», fue todo lo que logró decir.

«¡Miles de gracias por todo, querido Hippo!», gritó Lars, cuando ya estaba montado en la ballena. Drago los acompañó un trozo volando.

Hippo quedó solo atrás. Estuvo mucho rato sentado en la playa, después de que Lars se perdiera de vista.

«Más o menos por aquí tiene que estar tu casa», dijo Orca, cuando llegaron a
las grandes montañas de hielo. En aquel mismo instante, Lars gritó: «¡Allí está
mi padre! ¡Papá! ¡Papá! ¡Estoy aquí!» ¡Papá oso polar no daba crédito a sus ojos!
¡Allí estaba Lars, montado en una ballena!

Aunque papá oso polar estaba muy cansado, porque había buscado durante mucho tiempo a Lars, se puso enseguida a pescar un pez grande y hermoso para Orca. La ballena le dio las gracias y se alejó nadando.

«Ahora», dijo el padre, «¡tenemos que ir corriendo a casa para ver a tu madre!»

El padre dejó que Lars se encaramara encima de su espalda. Podía agarrarse muy bien a la piel gruesa y suave. La espalda de Hippo era mucho más resbaladiza.

Recorrieron de nuevo los grandes hielos. Todo era blanco y frío. Lars se sentía a gusto.

Cuando habían recorrido aquel camino la vez anterior, papá oso polar le había explicado muchas cosas a su hijito. Ahora era Lars el que hablaba y hablaba. Le hablaba de cosas que su padre no había visto todavía nunca.

«¿Y no había allí nadie blanco? ¿Absolutamente nadie?», preguntaba papá oso polar atónito.

«No, nadie, excepto el camaleón. Pero éste no cuenta», respondió Lars riendo.

Papá oso polar no sabía de qué estaba riendo su hijo, pero se sentía feliz, porque Lars volvía a estar a su lado.